ALINE CHARLEBOIS

Les manigances de Cloé

Pour Odette
A.C.

ILLUSTRATIONS : ESTELLE BACHELARD

Dominique et compagnie

Les personnages

Cloé

C'est moi ! J'ai dix ans,
et sais-tu de quoi
je rêve par-dessus
tout ? De trouver
la paix et la tranquillité
loooooin
du petit frère !

Phil

Lui, c'est mon frère.
Il a six ans, et c'est
un véritable pot
de colle ! Il ne pense
qu'à m'embêter
et à manger
des sucreries,
au grand dam
de maman.

Picolo

Lui, c'est mon chat !
Et, crois-le ou non,
c'est aussi un agent secret…

Maman

Elle est gentille et
douce, sauf quand
elle en a assez
des caprices de Phil !
Elle peut alors devenir
très autoritaire.
Maman adore
les marguerites et
devient complètement
gaga quand on lui
en offre.

Papa

Mon père est
un *papa-guimauve-
tout-doux-tout-tendre-
tout-sucré* qui préfère
rester discret quand
les problèmes
se pointent…

CHAPITRE 1

Enfin une bonne nouvelle !

« C'est le plus beau jour de ma vie ! »

Ça, c'est ce que je me disais, il y a quelques mois, quand j'ai appris LA NOUVELLE…

Mes parents s'étaient enfin décidés. Cet été, Phil irait dans un camp de vacances. Pour moi, cela signifiait deux semaines de paix, deux semaines de liberté!

C'était super!

Phil est un gentil garçon, mais… de loin! De très loin, même…

Je sais. Il est mon seul frère. Je pourrais être plus patiente, plus raisonnable, comme le dit si bien maman. Mais, peux-tu me dire, toi, ce qui est pire que d'avoir un frère?

C'est vrai. D'en avoir deux! Moi, je n'en ai qu'un et, crois-moi, ça me suffit largement!

Parce qu'en fait Phil n'est pas seulement mon frère. Il est aussi…

→ un vrai pot de colle…

→ un porte-panier…

→ un gaffeur, et…

→ le plus grand des voleurs de bonbons!

Sans compter que mes parents n'en ont que pour lui…

«Surveille ton frère, Cloé!» «Laisse ton frère choisir le film au club vidéo, Cloé!» «Il est plus petit que toi, Cloé! Sois raisonnable!» et **blablabla...**

J'en ai vraiment assez
de mon petit frère.

Il m'énerve !

Il m'énerve !

Il m'énerve !

CHAPITRE 2

Le camp de vacances

«Dans une semaine, j'aurai la paix!»

Ça, c'est ce que je me disais sept jours avant LE GRAND JOUR! Celui où nous irions conduire le pot de colle au camp de vacances. Loin. Très loin.

Je ne suis pas souvent d'accord avec mes parents, mais cette fois, je trouvais leur idée super. Ils en parlaient depuis des semaines avec le petit frère en lui montrant tout plein de photos et en lui vantant les nombreux avantages du camp. Phil s'est laissé

convaincre assez facilement.
Je crois même qu'il a été
impressionné. Comme il
est encore bien naïf, il croit
tout ce que mes parents lui
racontent…

Entre nous, un camp
de vacances, ça n'a rien
de bien réjouissant!

☹ On dort dans des lits
superposés qui craquent.

☹ On ne mange jamais
de pizza ni de poutine.

☹ On chante des
chansons à dormir debout.

☹ On participe à des jeux
de bébé, et puis je ne
te parle pas des moniteurs.

Que des vieux de 25 ans
et plus !

Imagine !

Les camps de vacances,
ce n'est plus pour moi.
Je me suis fait prendre
une fois, et ça me suffit.
De toute façon, j'ai passé
l'âge… À dix ans,
on a autre chose à faire
de ses vacances.

CHAPITRE 3

Les préparatifs

« Pauvre Phil, on ne peut pas dire qu'il comprend vite… »

Ça, c'est ce que je me disais deux jours avant son départ. Le petit frère

courait partout dans
la maison. Il ne voulait rien
oublier. Il a pris la vieille
valise bleue de papa,
celle qui pèse trois tonnes!
Il l'a ensuite remplie à
craquer de tous ses jouets.

Au camp de vacances,
on apporte ses vêtements,
son peigne et sa brosse
à dents. Point final.
Les petites autos, les Lego

et la doudou, ça reste
à la maison. Naturellement,
ma mère l'a interrompu
dans ses préparatifs, puis
elle a sorti de sa poche
une feuille de papier.

LA LISTE...

Elle l'avait reçue du
camp. Tout ce que le petit
frère devait apporter y
figurait. Ensemble, ils l'ont

19

lue. De haut en bas,
puis de bas en haut… Pas
de traces de petites autos,
de Lego ou de doudou.

C'est là que le drame
a commencé.

La crise! Une vraie!

Pour le petit frère,
une nuit sans sa doudou,
c'était comme…

😈un gâteau sans glaçage...

😈un *sundae* sans cerise...

😈un bonbon sans sucre...

C'était **la fin du monde** !

À ce moment-là, j'ai eu
très peur. Si ma mère
ne réussissait pas à le
convaincre de partir sans
sa doudou, fini, le camp
de vacances ! Et surtout, fini,
mes deux semaines de paix !

Il fallait que je m'en
mêle…

CHAPITRE 4

Les grandes manœuvres

Heureusement,

je connaissais la corde

sensible du petit frère.

La gourmandise !

Je suis donc entrée dans sa chambre et j'ai fait semblant d'être triste en lui demandant pourquoi il avait autant de peine.

Phil m'a alors raconté, tout en reniflant, le drame qu'il vivait. Par chance, il restait encore deux jours avant son départ.

– Veux-tu venir au parc avec moi? On pensera

à ta valise plus tard.

Je lui ai posé la question

en prenant une voix toute

mielleuse. Je crois bien

qu'il a eu confiance.

En tout cas, il m'a suivie !

  Notre promenade nous

a conduits, comme par

hasard, au dépanneur !

J'avais bien sûr glissé

un peu d'argent dans

ma poche…

Gommes, bonbons, chocolats, barbotine, alouette!

Et tout ça, à dix heures du matin!

Ouache!

Moi, je me suis contentée d'un Popsicle. Il fallait quand même que je joue le jeu…

Une fois l'estomac du petit frère bien gonflé,

26

nous avons discuté

du camp. J'ai tout décrit,

ou plutôt, tout inventé :

😮 les repas absolument

succulents...

😮 les collations chocolatées...

😮 les guimauves grillées

autour du feu (ça, c'était

vrai !).

Et patati ! Et patata !

Je lui ai dit que deux

semaines sans sa doudou,

ce n'était rien en
comparaison de tout
ce qu'il allait se mettre
sous la dent… Sans maman
pour lui dire «Ça suffit,
tu vas être malade!» ou
«Va brosser tes dents!»

Il m'écoutait, les yeux
ronds comme des billes,
en salivant de plaisir!

CHAPITRE 5

Chut !

J'avais fait promettre
à Phil de ne rien dire
à maman au sujet
de nos achats. Ce serait
notre petit secret à nous.
Rien qu'à nous! Il a mordu
à l'hameçon.

Comploter avec son frère, *ouf* ! Faut vraiment vouloir avoir la paix !

Quand nous sommes rentrés à la maison, ma mère a bien vu que Phil avait changé d'attitude. Devant la bonne humeur de son fils, elle n'a pas posé de questions. Elle s'est contentée de l'aider à boucler

sa valise… en respectant
la liste.

Pendant les deux jours
qui ont suivi, j'ai dû user
de différentes astuces.
Je ne voulais pas que
le pot de colle change
d'idée. Je l'ai même amené
à la bibli pour lui montrer
tout ce qu'il y avait comme
livres sur les expéditions.
Et ça n'avait rien à voir avec

les camps de vacances!
Je profitais de la confiance
que Phil avait en moi pour
tenter de lui donner le goût
de l'aventure, sans que
personne s'en doute…

CHAPITRE 6

Le jour J

À huit heures précises
ce matin-là, mon père,
ma mère, Phil, moi…
et la fameuse valise bleue
étions tous à bord
de la camionnette.

Après trois heures
de route, nous sommes
enfin arrivés au camp.
Heureusement, parce que
je n'avais plus une goutte
de salive ! Pendant tout
le trajet, j'avais fait rigoler
le petit frère en lui
racontant de soi-disant
anecdotes de mon unique
séjour dans un camp
de vacances. Mes parents

riaient aussi. Ils ne se
rappelaient pas que j'avais
aimé ce camp à ce point!
Comment l'auraient-ils pu?
J'inventais tout au fur et
à mesure, bien entendu…

Pauvre Phil! À bien y
penser, il était peut-être
sur le point de vivre le plus
grand choc de sa vie…
C'est à ce moment précis
que j'ai ressenti pour

la première fois une toute petite pointe de remords. C'était tout de même mon petit frère qui allait vivre les pires moments de sa courte existence! Mais je me suis vite rappelé que, de mon côté, j'allais connaître deux semaines de pur bonheur. Ça valait bien ce petit sacrifice…

Une fois les adieux faits, nous sommes repartis tous les trois vers la maison.

Il faisait beau. Mes parents ont donc décidé de passer par les petites routes de campagne. Et nous avons eu... **une crevaison !**

En pleine campagne !

Loin de tous les garages !

MALHEUR !

Il fallait que papa change

le pneu lui-même…

J'ai tout de suite su que

ce serait long. Très long.

Je voulais me promener.

Maman ne semblait pas

d'accord. Ma mère est

championne pour

s'inventer des peurs.

Cette fois, elle avait peur

qu'une **énooooorme**

bête sauvage m'attrape

et me croque en guise

de déjeuner! Les vacances

commençaient mal.

Après avoir suffisamment

insisté et l'avoir rassurée,

je l'ai convaincue de me
laisser me promener.
Pas trop loin, ne crains
rien! Ma mère voulait
m'avoir à l'œil… C'était
la condition. Évidemment,
il n'y avait pas de magasins
ni de boutiques de jeux
vidéo. J'ai donc cueilli
un gros bouquet de
marguerites sauvages
pour l'offrir à ma mère.

Après tout, c'est elle qui avait eu l'idée d'envoyer Phil dans un camp de vacances.

Elle méritait une récompense !

CHAPITRE 7

Miaou !

J'ai cueilli des marguerites pendant dix bonnes minutes. Puis, j'ai entendu un drôle de bruit…
Curieuse, je suis allée voir.

C'était un chat.

Un tout petit bébé chat.
Il semblait perdu. Il miaulait
à fendre le coeur. Je l'ai
pris dans mes bras.
Moi qui adore tout ce qui
a quatre pattes, surtout
les chats, j'étais comblée !
Il me léchait les mains
et me mordillait le bout
des doigts. Je crois bien
qu'il avait faim et soif.
Pauvre ti-minou !

J'ai repris mon bouquet
de marguerites et je suis
revenue vers la camionnette
avec le chat bien caché
au fond de mon sac à dos.
Papa était toujours occupé
à réparer la crevaison.
Maman semblait perdue
dans ses pensées.
Je me suis dirigée vers elle.
Quand je veux quelque
chose, je sais très bien

que c'est ma mère qu'il faut convaincre en premier.

Je lui ai offert mon bouquet de marguerites.

– Le sais-tu que c'est toi la maman la plus gentille du monde entier ?

Sourire tendre...

– Je voulais faire un plus gros bouquet, mais mes mains étaient trop petites.

Yeux humides...

Vite, elle est allée montrer
son bouquet à mon père.
Trop occupé pour voir
quoi que ce soit d'autre
que sa roue, il a juste
murmuré un vague
– Hum, très beau…

Ma mère est revenue
vers moi, toute souriante.
Elle aime tellement
les marguerites ! Je savais
que mon père lui en offrait

lorsqu'il voulait lui faire
plaisir ou… se faire
pardonner quelque chose.
Et ça fonctionnait toujours !
Aujourd'hui, c'était
à mon tour. Je n'avais rien
à me faire pardonner,
mais j'avais quelque chose
à demander.

– Viens t'asseoir près
de moi, Cloé. On va jaser
un peu.

Parfait! C'était en plein ça, discuter… de la possibilité d'adopter un petit chat!

Après un moment, sans le savoir, elle a posé LA bonne question.

– Dis-moi, ma belle, est-ce qu'il y aurait quelque chose qui te ferait plaisir?

Je croyais rêver!

– Il y a bien quelque chose… J'y pense depuis longtemps…

J'avais pris un air gêné. Ma mère était intriguée! C'était bon signe.

– J'aimerais tellement avoir un petit chat…

Elle m'a alors regardée d'un drôle d'air. Pendant une seconde, j'ai eu peur.

– Un chat… Hum ! Pourquoi pas ?

Mon cœur battait vite. Sans perdre de temps, je lui ai montré ce qui se cachait dans mon sac à dos.

Elle a éclaté de rire !

Qu'est-ce que ce rire signifiait ? Je n'en savais rien du tout, et ça m'inquiétait !

– Tu es bien comme ton père ! Tu sais comment t'y prendre pour avoir ce que tu veux : tu m'offres des marguerites !

CHAPITRE 8

Le paradis !

Une fois le pneu réparé,

nous sommes repartis

vers la maison. Cette fois,

plus question d'emprunter

les petites routes

de campagne. Vite, sur

l'autoroute ! Trois heures

plus tard, j'étais à nouveau au dépanneur, cette fois pour acheter deux boîtes de Mlle Minou pour mon petit protégé.

Enfin, j'avais un chat! Un beau chaton, et pas de frère à l'horizon pour deux semaines entières.

Je crois bien que mon chaton n'a pas mis plus de deux minutes pour vider son plat.

Après, il a fait sa toilette.

Puis, il s'est couché en rond

dans le panier que je lui

avais préparé. Je suis

restée longtemps à le

regarder dormir. Je savais

que nous deviendrions

de grands amis.

C'était le paradis.

J'ai appelé mon chat
«Picolo» parce qu'il était
tout petit. Picolo est
un mot italien qui veut dire
«petit». C'est Anthony,
mon voisin et ami italien,
qui me l'a appris.

Le lendemain matin,
Picolo m'a réveillée
en me léchant le visage
avec sa petite langue
râpeuse. Ça chatouillait.

Je devais me lever. Picolo voulait son déjeuner.

Une fois sa panse bien remplie, il s'est frotté contre moi. C'était sa façon à lui de me dire merci.

Il était tellement beau! Son poil était tellement doux!

Encore une fois, je l'ai brossé. Il ronronnait de plaisir! Puis, nous sommes allés faire un petit tour.

Il y a un panier attaché au guidon de ma bicyclette. J'y ai donc installé Picolo. Ensemble, nous avons fait le tour du quartier.

Je lui ai tout montré :

* mon école..

* le parc...

* la piscine...

* la bibliothèque...

* le dépanneur...

* le magasin de jeux
vidéo...

* la maison de
mes copains...

Et aussi celle de Lili,

ma meilleure amie.

 Et celle d'Émile…

mon amoureux secret.

Je parlais à Picolo. Je lui

racontais plein de choses.

Je me trouvais un peu

folle de parler à mon chat,

mais bon… ça me rendait

heureuse !

CHAPITRE 9

Le retour du pot de colle

Mes deux semaines de tranquillité ont passé vite. **TROP VITE !**

Pas une fois je n'ai pensé au petit frère. Enfin, presque pas une fois.

C'était de belles vacances.

Mais toute bonne chose

a une fin, paraît-il.

Mes parents, eux, se sont
ennuyés. Les pauvres!
Ils ne savent pas profiter
des bons moments
de la vie.

Avant de quitter la maison
pour aller chercher Phil,
j'ai installé Picolo dans son
panier. Je ne voulais pas
qu'il fasse la connaissance
du petit frère dans
la camionnette de papa.

Je voulais choisir un meilleur moment.

Dès notre arrivée au camp, j'ai repéré Phil qui nous attendait…

Il était furieux !

Quand maman a été assez proche, il lui a sauté dans les bras en pleurant comme une fontaine ! Papa se demandait si on l'avait

maltraité. Maman, quant
à elle, ne comprenait rien
de ce qu'il lui disait.

Deux semaines loin de
sa mère! Deux semaines
sans sa doudou! Et, surtout,
deux semaines à manger
convenablement!

☹ Pas de bonbons.

☹ Pas de gomme balloune.

☹ Pas de desserts
hypersucrés… Que des
fruits et des biscuits.
Deux semaines de vraie
misère, selon le petit frère!

   La scène n'était pas
vraiment drôle, je sais,
mais j'ai quand même dû
me mordre les joues
pour ne pas sourire.

Non pas que je ne l'aime pas, mon petit frère,
mais de là à le prendre en pitié parce qu'il n'avait mangé que de bons repas santé…

C'est à ce moment que le moniteur en chef est venu à notre rencontre pour expliquer à mes parents que Phil ne s'était pas très bien comporté…

☹️ Trente-deux fois, il avait été surpris à fouiller dans le frigo de la cuisine du camp pendant que ses amis jouaient ou… dormaient!

☹️ Il avait volé le dessert de ses voisins de table à plusieurs reprises.

☹️ Il ne voulait jamais participer aux activités.

☹ Il avait insulté

les moniteurs parce qu'ils

lui avaient retiré ses sacs

de bonbons à son arrivée.

Quand j'ai vu les yeux

de maman, j'ai tout

de suite su qu'il y avait

du changement dans l'air…

C'était terminé,
LES CAPRICES
de bébé-Phil !

Moi, je me contentais d'observer. Ce n'est pas moi qui leur aurais expliqué ce qu'ils n'avaient pas compris! J'ai quand même un bon instinct de survie!

CHAPITRE 10

Pauvre Phil !

Une fois rendu à la maison, Phil s'est rué vers sa chambre et s'est lancé sur son lit. Doudou en main, il pleurait comme un vrai bébé, puis criait, entre deux sanglots :

– Personne m'aime !
Personne me comprend !

Pour se consoler, il a alors
mangé, en moins de trois
minutes, tous les bonbons
qui se trouvaient dans
le premier tiroir de
sa commode. Je dis bien
TOUS… Lorsque maman
est venue le rejoindre,
son visage était tout sale

de chocolat, de sucre,

de gomme... et de morve!

Ouache!

Ça parlait fort dans
la chambre! Maman était
furieuse!

— Eh bien! je t'annonce
que tu viens de manger
tes derniers bonbons,
mon garçon!

Elle avait parlé sur
un ton qui ne laissait aucun
doute sur ses intentions.

ELLE EN AVAIT ASSEZ !

Le séjour du petit frère
en camp de vacances avait
fait réaliser à maman
que la gourmandise
et les caprices de son fils
devenaient vraiment
problématiques. Le temps

était venu pour elle

de suivre l'exemple

des moniteurs et de remettre

Phil sur le droit chemin !

   Pendant tout ce temps,

Picolo était caché sous le lit

de Phil. Il venait de faire

la connaissance de mon

frère… Sans se faire voir,

il s'est faufilé jusqu'à

ma chambre et a bondi

sur mes genoux. Laisse-moi

te dire que j'ai fait tout
un saut! J'étais trop
absorbée par ce qui
se passait dans la chambre
de Phil. À ce moment,
Picolo m'a regardée avec
une étrange expression.
Une expression qui a fait
germer une idée dans
ma tête… Peut-être que…

Picolo… agent secret…
espion… collaborateur…

Mon idée valait la peine d'être exploitée. Il était de plus en plus clair pour moi que maman aurait besoin d'aide pour «casser» les mauvaises habitudes du petit frère.

Mon cerveau surchauffait! Je dois te dire qu'Anthony, l'ami italien dont je t'ai parlé tantôt, avait reçu à Noël un magnétophone

muni d'un petit haut-
parleur pas plus grand
qu'une pièce de un dollar.
Le haut-parleur était sans
fil et fonctionnait à pile.
Je suis donc allée le voir
pour lui expliquer mon plan.
En riant, Anthony m'a dit :
– Ma vieille, je te le prête
quand tu veux !

Si tu me suis bien, tu vas très vite comprendre où je voulais en venir…

Grâce au petit haut-parleur, j'allais pouvoir me faire entendre… sans être vue ! Bien sûr, Picolo allait me servir d'espion en le transportant. Il n'était peut-être pas le Chat botté, mais il était le collaborateur idéal ! Je sentais qu'il allait

servir vaillamment
ma cause !

   J'avais envie de crier
tellement je trouvais
mon idée géniale. Imagine
un peu… Ton poisson
rouge ou ton hamster
se met à te parler !
Comment réagirais-tu ?

   J'ai pris Picolo et je suis
partie discrètement
au parc.

Il me fallait d'abord faire quelques essais…

CHAPITRE 11

Comme dans les films

Une fois rendue au parc, j'ai accroché le petit haut-parleur au collier de Picolo. Puis, j'ai fait quelques tests. Tout s'est bien passé.

Picolo réagissait comme
je l'espérais.

Après un moment, deux
petits garçons sont arrivés.
Ils se sont installés dans
le carré de sable, prêts
à entreprendre un énorme
chantier. Discrètement,
j'ai dirigé Picolo vers eux.
Quand il a été assez
près des enfants, j'ai fait
mon premier vrai test…

– Salut! Qu'est-ce que vous faites, les gars?

Les deux garçons ont regardé autour d'eux. Il n'y avait personne… Juste mon chat! Ils se sont regardés sans comprendre.

J'ai laissé passer une bonne minute et j'ai fait un deuxième test.

– Est-ce que je peux jouer avec vous?

Picolo se tenait droit
devant eux et complétait
mes phrases par de petits

« *Miaou* ! »

Bouche bée, les garçons
n'ont pas attendu
une troisième réplique,
crois-moi ! Ils ont ramassé
pelles et camions et sont
partis en courant.

Il était maintenant clair que Picolo m'aiderait à mener mon projet à terme.

CHAPITRE 12

Pire que l'enfer !

Lorsque je suis revenue à la maison avec mon « chat parlant », ma mère était dans la cuisine avec Phil.

Pauvre petit frère !
Il pleurait encore…

Maman l'obligeait à jeter dans un sac vert toutes les cochonneries sucrées qu'il y avait dans la maison. Elle avait bien l'intention de faire en sorte que Phil perde ses mauvaises habitudes alimentaires. Tout y passait. Même les biscuits Rotéro triple crème! Ses préférés…

C'était tout un spectacle! Le petit frère criait, criait, criait…

– C'est pas juste! T'as pas le droit de m'obliger à jeter tout ça! Je vais appeler la police!…

Phil trouvait maman cruelle. Quant à mon père, il préférait laisser maman agir parce qu'il est incapable d'être autoritaire. C'est un *papa-guimauve-tout-doux-tout-tendre-tout-sucré*. Il ne s'en est donc pas mêlé, même si ça lui brisait le cœur de voir les biscuits Rotéro triple crème prendre le chemin de la poubelle.

Lorsque Phil m'a aperçue, il a cessé de pleurer. Je me suis tout de suite dit «Ça y est! Il va me dénoncer!» Mais non.

Il venait de remarquer
mon chat.

– Il est à qui le sac à puces?

Un sac à puces! Mon Picolo!
J'étais insultée. Le pot de
colle allait me le payer cher
s'il s'en prenait à mon chat.
Mais maman a répondu
pour moi.

– Cloé voulait un chat. Elle
a eu un chat. Pourquoi?

Parce qu'elle est gentille et qu'elle ne passe pas son temps à faire des caprices et à s'empiffrer de cochonneries en cachette. **POINT FINAL !**

J'étais soulagée…

CHAPITRE 13

Le plan parfait

Je suis montée dans
ma chambre. Il était urgent
que je mette mon plan
au point. Finalement, ce
n'était pas très compliqué.

Ne dit-on pas que les meilleures idées sont souvent les plus simples ?

Je devais surprendre Phil chaque fois qu'il s'apprêtait à faire un mauvais coup ou à manger des cochonneries.

Je me suis donc mise à épier ses moindres gestes, Picolo à mes côtés. Quand le petit frère farfouillait dans ses tiroirs, je savais qu'il cherchait des bonbons cachés. J'envoyais alors Picolo vers lui en mettant le haut-parleur en fonction :

– Attention, Phil! Tes dents vont tomber!

J'avais enregistré ce message en prenant soin de changer ma voix, évidemment. Je répétais toujours cette même phrase. Chaque fois,

Phil devenait blanc comme un squelette et se mettait à transpirer comme une bouilloire qui déborde! Il regardait partout autour de lui, mais ne voyait personne, bien entendu, sauf Picolo qui le regardait en miaulant. Chaque fois, il rangeait maladroitement ses bonbons et refermait aussitôt ses tiroirs.

Il ne comprenait rien
à ce qui se passait…

Phil en avait presque
perdu l'appétit. Du moins,
pour ses bonbons!

Maman craignait d'avoir
été trop sévère avec lui,
mais malgré la mine basse
de son fils, elle tenait
le coup et l'encourageait
en le félicitant pour
ses efforts.

En fait, c'est moi qu'elle aurait dû féliciter!

CHAPITRE 14

La transformation

Après trois semaines
d'espionnage, je dois
te dire que le petit frère
avait bien meilleure mine.
Pour se changer les idées
et oublier ses envies

de sucreries, il avait pris
l'habitude d'aller jouer
dehors et s'était fait
de nouveaux amis.
Maman était aux anges!

   Il n'y avait donc plus
de cochonneries qui
entraient dans la maison.
Du moins, c'est ce
que maman croyait…
Papa avait caché, bien
au fond du garage,

quelques boîtes de biscuits
Rotéro triple crème.

Il pensait que personne
ne le savait.

Phil avait aussi perdu deux
dents. Il croyait que c'était
parce qu'il avait mangé
un bâton de réglisse acheté
en cachette au dépanneur
de monsieur Sigouin.

Pauvre Phil !

Et puis, on aurait dit que l'attitude du petit frère avait changé. Il n'était plus le pot de colle que j'avais connu. Phil était devenu…

Je ne sais pas trop comment le dire… Gentil? Aimable? Il lui arrivait même de jouer avec Picolo, et ça, ça me plaisait vraiment.

Je m'arrête ici. Je ne veux pas que tu penses que j'exagère. Parce qu'un petit frère, ça reste un petit frère !

Dans la même collection

Amandine adore la cuisine!

C'est moi, Amandine! Un jour, je l'espère, je serai cuisinière,
et même boulangère-pâtissière! Seulement voilà.
J'ai un petit problème. Comme mes parents me le répètent
souvent, ce n'est pas suffisant d'avoir du talent.
Il faut aussi bien connaître ses mathématiques...
Heureusement, j'ai une solution! ILLUSTRATIONS: GENEVIÈVE KOTE

Amandine adore la galette des Rois!

C'est moi, Amandine! J'aime aider mes parents
qui sont boulangers-pâtissiers. J'adore aller dans notre
boutique familiale. Sentir le parfum du bon pain, du caramel,
des tartelettes… Pour la fête des Rois, on attend une de nos
vedettes: la plus célèbre des galettes!

ILLUSTRATIONS: GENEVIÈVE KOTE

Amandine
Le gâteau de mariage

C'est moi, Amandine! Aujourd'hui, je suis très excitée!
Nona, ma gardienne adorée, va bientôt se marier.
Youpi! Je serai demoiselle d'honneur.
Mais c'est du travail d'organiser ce grand événement!
Et, j'ai plein d'idées pour y participer…

ILLUSTRATIONS: GENEVIÈVE KOTE

Amandine
La tarte à la citrouille

C'est moi, Amandine! Cet automne, ma gardienne-couturière
s'est envolée pour l'Italie. Cela me cause bien des soucis.
Trouver mon costume d'Halloween est un grand défi.
Mais le pire, c'est de me faire garder par «grand-mère
théière». Je crois qu'elle est une sorcière! Une vraie de vraie!

ILLUSTRATIONS : AMANDINE GARDIE

roman lime | DOMINIQUE ET COMPAGNIE

Bertrand Lavoie

C'est moi le prof !

Marie Demers

Bertrand Lavoie
C'est moi le prof !

C'est moi, Bertrand Lavoie. Je suis en 2ᵉ année
et je sais déjà tout. Lire. Écrire. Et compter jusqu'à 1 000 !
Je ne comprends pas pourquoi je dois gaspiller mes journées
à réciter les tables de calcul mental et à faire des dictées.
D'ailleurs, je ne suis pas le seul… Un roman extra rigolo !

ILLUSTRATIONS : JULIEN CASTANIÉ

Visite notre site Internet pour en savoir plus
sur nos auteurs, nos illustrateurs et nos collections :
dominiqueetcompagnie.com

Catalogage avant publication de Bibliothèque et Archives nationales du Québec et Bibliothèque et Archives Canada

Charlebois, Aline, 1955-

Les manigances de Cloé
(Collection Grand roman lime)
Pour enfants de 7 ans et plus.

ISBN 978-2-89739-145-4

I. Bachelard, Estelle, 1988- . II. Titre.

PS8605.H368M36 2015   jC843'.6
C2014-942045-5
PS9605.H368M36 2015

Direction littéraire :
Françoise Robert
Conception graphique :
Nancy Jacques
Révision linguistique :
Valérie Quintal

Dépôt légal : 1er trimestre 2015
Bibliothèque et Archives
nationales du Québec
Bibliothèque et Archives Canada

Dominique et compagnie
1101, avenue Victoria
Saint-Lambert (Québec) J4R 1P8
Téléphone : 514 875-0327
Télécopieur : 450 672-5448
Courriel : dominiqueetcompagnie@
editionsheritage.com
www.dominiqueetcompagnie.com

Imprimé au Canada

Nous reconnaissons l'aide financière du gouvernement du Canada par l'entremise du Fonds du livre du Canada et du Conseil des Arts du Canada.

Nous reconnaissons l'aide financière du gouvernement du Québec par l'entremise du Programme de crédit d'impôt – SODEC – Programme d'aide à l'édition de livres.